Jean Cabot

Weigl

CALGARY
www.weigl.ca

Galadriel Watson

Publié par Weigl Educational Publishers Limited
6325 10ᵉ rue SE
Calgary, Alberta, Canada
T2H 2Z9

Site web : www.weigl.ca

Tous les liens URL mentionnés dans le présent livre étaient valides au moment
de la publication. En raison, toutefois, de la nature dynamique d'Internet,
certaines adresses peuvent avoir été modifiées depuis et certains sites peuvent
avoir été fermés. Bien que l'auteur et l'éditeur déplorent les désagréments
qu'une telle situation peut occasionner, ils ne peuvent être tenus responsables
de ces changements.

Catalogage avant publication de Bibliothèque et Archives Canada
Watson, Galadriel
   Jean Cabot / Galadriel Watson.
(À la découverte du Canada)
Traduction de: John Cabot.
Comprend des réf. bibliogr. et un index.
Pour les jeunes.
ISBN 978-1-55388-567-2
   1. Cabot, John, m. 1498?--Ouvrages pour la jeunesse. 2. Canada--
Découverte et exploration britanniques--Ouvrages pour la jeunesse.
3. Explorateurs--Grande-Bretagne--Biographies--Ouvrages pour la
jeunesse. 4. Explorateurs--Canada--Biographies--Ouvrages pour la jeunesse.
I. Titre.   II. Collection: À la découverte du Canada (Calgary, Alb.)

FC301.C3W3814 2009   j971.01'14092   C2009-904441-2

Imprimé aux États-Unis d'Amérique
1 2 3 4 5 6 7 8 9 0   13 12 11 10 09

Nous reconnaissons
l'aide financière du
gouvernement du
Canada par l'entremise
du Programme d'aide au
développement de
l'industrie de l'édition
(PADIÉ) pour ce projet.

**COORDINATION DE
PROJET**
Janice L. Redlin

RÉVISION
Heather C. Hudak

CONCEPTION
Terry Paulhus

MISE EN PAGES
Terry Paulhus

**RECHERCHE DE
PHOTOS**
Ken Price

Sur la couverture
John Cabot attire
l'attention des
Européens sur
l'Amérique du Nord.

TABLE DES MATIÈRES

Introduction

Le 24 juin 1497, après 35 jours en mer, Jean Cabot et son équipage aperçoivent les côtes de ce qu'ils croient être l'Extrême-Orient – terre des épices, de la soie et autres richesses –, mais ils se trompaient. En fait, Cabot avait atteint des terres alors à peine connues des Européens, des terres qu'on appellerait plus tard l'Amérique du Nord.

- En 1495 ou 1496, Cabot arrive à Bristol, en Grande-Bretagne, dans l'espoir de trouver les fonds nécessaires pour traverser l'Atlantique. Selon un registre, un certain Jean Cabotto loua une maison rue St. Nicholas.

Les Européens traversent l'océan, en quête de richesses et de nouvelles routes maritimes pour faciliter le commerce.

985 Les Vikings sont les premiers à explorer le nord-est du Canada.

1000 Le chef viking Leif Eriksson, dit l'Heureux, atteint le Canada et jette l'ancre au Vinland, région correspondant peut-être à L'Anse aux Meadows, à Terre-Neuve-et-Labrador : des archéologues ont en effet trouvé à cet endroit, dans les années 1960, des artefacts vikings.

La découverte de Cabot eut des répercussions importantes. Elle annonça un changement important dans le mode de vie traditionnel des Autochtones du **continent**. Elle coïncida avec le début de l'Empire britannique. À terme, elle entraîna l'établissement des **colonies** britanniques dans les États-Unis actuels, ainsi que la fondation du Canada.

On en sait peu à propos de Cabot et de ses expéditions. Il n'existe aucune trace de cartes, de journaux de bord ou de carnets de voyage préparés par Cabot ou son équipage. Les historiens ont glané des renseignements sur Cabot dans les documents historiques, entre autres dans les registres municipaux, le carnet de quittances de loyer de sa famille, **les lettres patentes** du roi Henri VII et les récits indirects de ses expéditions.

Histoire en bref

Le fils de Cabot, Sébastien, était aussi explorateur. Il longea les côtes de l'Amérique du Nord et de l'Amérique du Sud. Tout comme son père, on lui attribue la découverte de l'Amérique du Nord actuelle.

1497 Jean Cabot, à la recherche de l'Extrême-Orient, navigue vers Terre-Neuve-et-Labrador.

1534 Jacques Cartier effectue un premier voyage au Canada afin de prendre possession de nouveaux territoires au nom du roi de France.

1603 Samuel de Champlain navigue vers le Canada et en dresse les premières cartes précises.

1609 Henry Hudson fait voile vers l'actuelle Terre-Neuve-et-Labrador. Il met ensuite le cap vers le sud et découvre le fleuve Hudson.

Les premières années

Jean Cabot naît vers 1450 à Gênes (Italie), selon certains historiens, alors que d'autres le croient originaire des environs de Gaète, aussi en Italie. En italien, son nom de famille (Caboto) signifie « navigateur côtier ». Son prénom a, quant à lui, été adapté dans différentes langues (Giovanni, Zuan, Zoane, Johan et Juan par exemple). Ce n'est qu'à l'âge adulte, à son arrivée en Angleterre, qu'on lui donna le nom sous lequel il est connu aujourd'hui, Jean Cabot.

La famille de Cabot déménage à Venise en 1461. Tout comme son père, Egidius Caboto, Cabot se fit **marchand**. À ce titre, il fait le commerce de marchandises transportées par bateau de Venise à Alexandrie (Égypte), sur l'autre rive de la Méditerranée. Une fois à destination, ces marchandises sont échangées contre des épices, de la soie, des parfums, des tapis et autres richesses de l'Extrême-Orient.

■ Ville maritime située au nord-est de l'Italie, Venise est composée de 120 îles entourées de 177 canaux. On y trouve quelque 400 ponts.

Ces voyages firent de Cabot un **marin** et un cartographe hors pair. Vers 1490, Cabot déménage en Espagne avec sa femme, Mattea, et trois de leurs enfants, Ludovico, Sebastiano (Sébastien) et Sancio. Selon les archives, un certain Johan Cabot Montecalunya cherche, en 1492, des fonds pour faire construire un port – sans succès. Certains historiens croient qu'il s'agissait de Jean Cabot.

Son plan pour un nouveau port ayant échoué, Cabot demande aux rois d'Espagne et du Portugal de l'autoriser à explorer l'Atlantique. Ni l'un ni l'autre n'accède à sa demande.

Histoire en bref

Christophe Colomb est né à Gênes, en Italie, à peu près dans la même période que Cabot. En 1492, sur un navire battant pavillon espagnol, il traverse l'Atlantique et jette l'ancre dans les Antilles. Tout comme Cabot, il croyait avoir atteint l'Extrême-Orient. Colomb n'a toutefois jamais mis le pied en Amérique du Nord. Il longea les côtes de l'Amérique du Sud et navigua dans les archipels voisins, comme les Antilles.

LA ROUTE DES ÉPICES

Les épices jouent un rôle très important dans l'Europe du quinzième siècle. La cannelle, les clous de girofle et le poivre, pour n'en nommer que quelques-unes, aident à masquer le goût de la nourriture, souvent avariée. Ces épices sont importées de l'Extrême-Orient, de pays comme le Cathay (la Chine) et le Cipango (le Japon).

Pour cette raison, les Européens cherchèrent des moyens d'obtenir les épices plus facilement et à meilleur prix. Puisqu'ils ne pouvaient pas atteindre l'Extrême-Orient par la voie terrestre sans traverser des pays souverains, certains songèrent à s'y rendre en bateau, en passant au sud de l'Afrique. D'autres pensèrent plutôt à suivre la route de l'ouest, c'est-à-dire à traverser l'Atlantique. C'est le choix que firent Cabot et Colomb.

Les expéditions

Selon certains historiens, Cabot arrive à Bristol, en Angleterre, vers 1492 ; selon d'autres, dans les années 1480. Nombre de raisons mènent Cabot à choisir cette ville portuaire. Il en a peut-être entendu parler lorsqu'il était marchand. Bristol compte alors 10 000 habitants ; c'est la deuxième ville d'Angleterre, après Londres. Son port, parmi les plus achalandés du pays, est le point de départ de nombreuses expéditions commerciales en Islande. Autrement dit, les navires construits à Bristol sont en mesure de naviguer dans les eaux froides de l'Atlantique Nord. Enfin, la ville compte beaucoup de marins aguerris et de robuste constitution, capables de supporter les extrêmes rigueurs de cet océan.

■ Henri VII, aussi connu sous le nom d'Henri Tudor, a été roi d'Angleterre de 1485 à 1509.

Le roi Henri VII appuie difficilement les voyages d'exploration, rarement fructueux. Or, Bristol est alors l'une des villes les plus riches d'Angleterre. Ses marchands, tout comme Cabot, voient dans la route de l'ouest le moyen d'atteindre l'Extrême-Orient. Dans l'espoir de voir leur port prospérer, ils accordent à Cabot les fonds nécessaires à son expédition.

Histoire en bref

Au quinzième siècle, bien des gens croient la terre plate. Ils craignent que les navires, s'ils se rendent à son extrémité, « tombent dans le vide ». Les navigateurs chevronnés comme Cabot savent qu'il n'en est rien.

Bristol donne sur l'océan Atlantique, que Cabot souhaite explorer. Il sait déjà que du Christophe Colomb, dans sa quête de l'Extrême-Orient, a traversé cet océan par le sud. Cabot fait le pari qu'il parviendra plus rapidement en Extrême-Orient en traversant l'Atlantique à **une latitude** plus élevée.

LE STOCKFISCH

Les marchands de Bristol s'attendaient à ce que Cabot trouve de nouveaux bancs de poissons, la demande en Europe étant très élevée. Faute de poisson frais, les habitants de Bristol mangeaient souvent du poisson salé ou séché. La morue étant parmi les poissons les plus faciles à saler et à sécher, elle formait l'espèce la plus abordable et la plus mangée dans cette ville.

Le commerce de la morue islandaise, aussi appelée *stockfisch*, était alors la mainmise d'un groupe appelé Ligue hanséatique. À la suite de leur exclusion de ce commerce, les marchands de Bristol durent trouver une autre source d'approvisionnement.

La course aux richesses

Cabot devait faire autoriser son expédition vers l'Extrême-Orient par le roi Henri VII. Sans cette autorisation, il ne pourrait prendre possession des territoires découverts ni les défendre ; il ne pourrait pas non plus former des alliances commerciales. C'est pourquoi il présenta au roi le plan de l'expédition qu'il projetait. Quelques années plus tôt, Christophe Colomb avait lui aussi demandé l'appui du roi. Alors qu'il rejeta la demande de Colomb, le roi accepta celle de Cabot.

Le roi fonde de grands espoirs dans l'expédition de Cabot. À une époque où l'Angleterre manque de poisson, il espère que Cabot trouvera de nouveaux territoires de pêche.

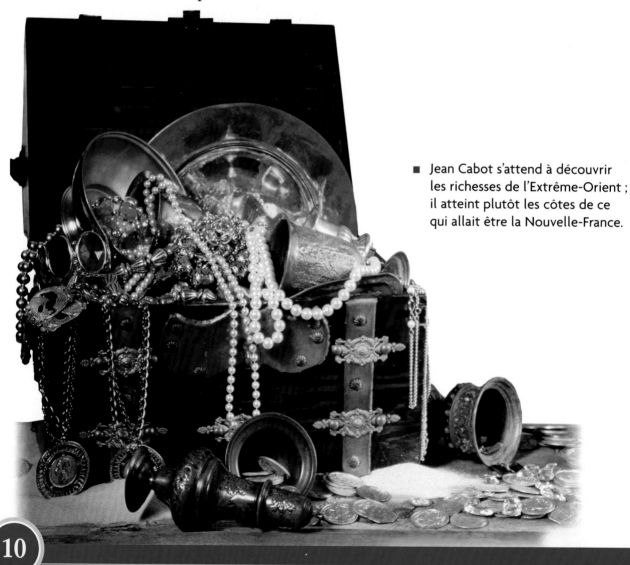

■ Jean Cabot s'attend à découvrir les richesses de l'Extrême-Orient ; il atteint plutôt les côtes de ce qui allait être la Nouvelle-France.

Henri VII compte aussi réduire le prix des épices par la découverte d'une voie de commerce unique entre l'Angleterre et l'Extrême-Orient. Cependant, il ne veut pas que Cabot suive la même route que Colomb, celle de l'Atlantique Sud, par peur de froisser le roi d'Espagne. Cabot projette de passer par l'Atlantique Nord.

Cabot convainc le roi de sa capacité à mener à bien l'expédition. En effet, Cabot sait se servir des instruments de **navigation** les plus avancés de l'époque, le quadrant et **l'astrolabe,** par exemple. Il sait dresser des cartes et des globes. Enfin, il a le soutien financier des marchands de Bristol.

LES LETTRES PATENTES

Le 5 mars 1496, Henri VII d'Angleterre remet à Cabot ses lettres patentes. Par cet écrit, le roi accorde à Cabot, à ses fils et à leurs héritiers « le pouvoir de naviguer dans tous les lieux, régions et golfes des mers orientale, occidentale et septentrionale, sous nos bannières, nos étendards et nos pavillons, avec cinq vaisseaux ou navires de quelque port ou qualité qu'ils soient, et avec autant de matelots et d'hommes qu'ils voudront amener avec eux sur lesdits navires, [à ses] frais et dépens et [à ceux] des siens, pour trouver, découvrir et rechercher toutes les îles, les contrées, les régions ou les provinces de quelques païens et infidèles que ce soit, dans quelque partie du monde qu'elles soient situées, qui auront été inconnues jusqu'ici aux chrétiens ».

Ces lettres font aussi de Bristol le port d'entrée des marchandises. Le roi s'y réserve le droit de percevoir le cinquième des gains faits, une fois les dépenses nécessaires déduites.

Les navires et
les instruments

abot fit la traversée à bord du *Matthew*, un navire nommé d'après sa femme, Mattea. Selon les historiens, le *Matthew* était une caravelle. Au XVe siècle, ce type de navire était à la fine pointe de la technologie. Inventée par les Portugais et les Espagnols, la caravelle comportait des voiles carrées et triangulaires. Elle était suffisamment robuste pour les voyages sur l'océan.

Histoire en bref

Le mot tonne vient du latin tonna, un terme désignant un tonneau. Il exprime le nombre de « tonneaux » qu'un navire peut transporter. Plus le tonnage du navire était élevé, plus les matelots pouvaient faire d'argent.

Le *Matthew* avait trois **mâts** et pouvait transporter environ 50 tonnes de marchandises. Les caravelles étaient fabriquées principalement en chêne et leurs différentes parties étaient tenues en place à l'aide de chevilles de bois et de cordes.

■ En 1997, une réplique du Matthew refit la traversée vers l'actuelle Terre-Neuve-et-Labrador, que Cabot entreprit 500 ans plus tôt.

On se servait d'étoupe – un résidu de cordes de chanvre – et de goudron pour assurer l'étanchéité du navire. Les voiles étaient faites de lin ou de toile.

À sa première expédition, Cabot compte 18 membres d'équipage, dont un ami français et un chirurgien génois. À titre de capitaine, Cabot décide de l'itinéraire du navire et discipline l'équipage. À bord, on compte aussi un maître canonnier, un **maître d'équipage**, un charpentier et un aumônier. Il y a souvent un chat à bord pour chasser les rats et les souris.

■ Certains cordages (les haubans) assujettissaient les mâts, d'autres faisaient partie du gréement et servaient à orienter les voiles.

Les autres membres d'équipage s'occupent du navire. Ils hissent, abaissent et **orientent** les voiles. Ils raccommodent les voiles, renforcent les cordes et colmatent les fuites.

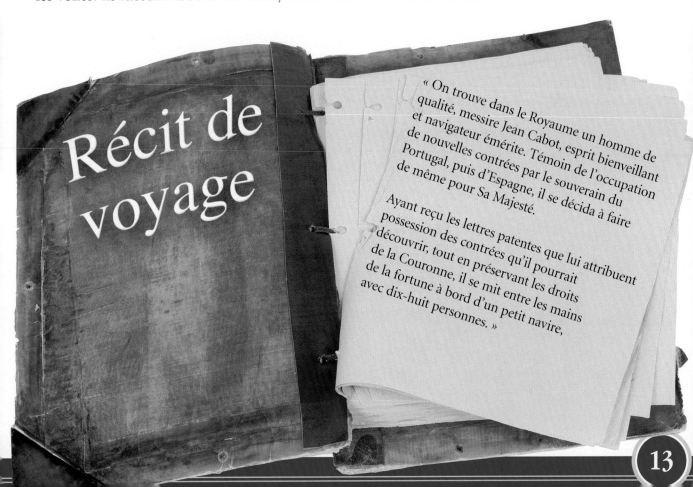

Récit de voyage

« On trouve dans le Royaume un homme de qualité, messire Jean Cabot, esprit bienveillant et navigateur émérite. Témoin de l'occupation de nouvelles contrées par le souverain du Portugal, puis d'Espagne, il se décida à faire de même pour Sa Majesté.

Ayant reçu les lettres patentes que lui attribuent possession des contrées qu'il pourrait découvrir, tout en préservant les droits de la Couronne, il se mit entre les mains de la fortune à bord d'un petit navire, avec dix-huit personnes. »

Les provisions

n règle générale, il y avait des provisions pour un an à bord des navires. Leur chargement pouvait prendre plusieurs semaines.

L'entreposage des vivres posait un problème important. N'étant pas réfrigérée, la nourriture se gâtait rapidement. Des quantités de poissons séchés, de viandes salées, de riz, de fèves, de fromages et de pains très secs appelés « biscuits de mer » étaient chargées dans le navire. Quelques animaux (vaches, chèvres, poules, porcs) donnaient du lait, des œufs et de la viande fraîche. Les meilleurs aliments étaient réservés à Cabot et à ses officiers. Les membres d'équipage buvaient surtout de la bière parce que l'eau fraîche croupissait rapidement dans les barils. Ils devaient attendre de revenir à quai pour pouvoir en boire.

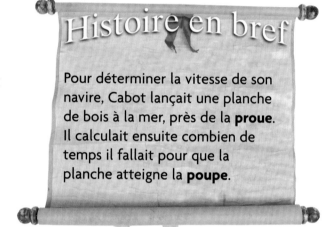

Histoire en bref

Pour déterminer la vitesse de son navire, Cabot lançait une planche de bois à la mer, près de la **proue**. Il calculait ensuite combien de temps il fallait pour que la planche atteigne la **poupe**.

■ Jean Cabot découvrit de grands bancs de poissons dans l'Atlantique, près de l'actuelle Terre-Neuve-et-Labrador. Les poissons étaient séchés et salés pour assurer leur conservation.

■ Le porc a été importé en Amérique par Christophe Colomb et d'autres explorateurs espagnols.

Tous les instruments de navigation nécessaires se trouvaient à bord. Astrolabes, arbalètes et quadrants servaient à calculer la latitude du navire. Ces instruments permettaient de mesurer la hauteur d'astres fixes, comme le soleil (pendant le jour) ou l'étoile Polaire (au cours de la nuit). Pour déterminer la direction du navire, Cabot utilisait un **compas**. Quant à la profondeur de l'océan, il la mesurait en plongeant dans l'eau une corde lestée qu'on appelle ligne de sonde. Une fois que cette ligne touchait le fond, Cabot n'avait qu'à en mesurer la longueur. Il prenait aussi le temps de consigner ses observations ; s'il apercevait des oiseaux terrestres, par exemple, il savait qu'il y avait des terres à proximité. Il suivait ces oiseaux et rapportait par écrit ses découvertes dans ce qu'on appelle un journal de bord. Les autres navigateurs se servaient du journal de bord pour reproduire l'itinéraire employé.

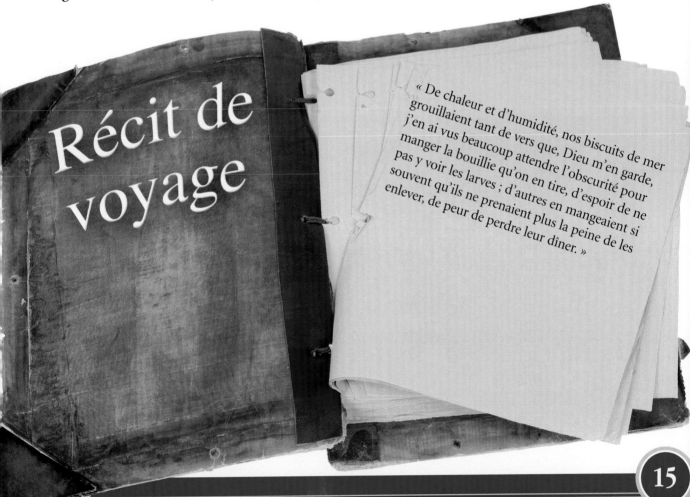

Récit de voyage

« De chaleur et d'humidité, nos biscuits de mer grouillaient tant de vers que, Dieu m'en garde, j'en ai vus beaucoup attendre l'obscurité pour manger la bouillie qu'on en tire, d'espoir de ne pas y voir les larves ; d'autres en mangeaient si souvent qu'ils ne prenaient plus la peine de les enlever, de peur de perdre leur dîner. »

La traversée de l'Atlantique

Au moment où Cabot reçoit du roi l'autorisation de naviguer, en 1496, la saison de navigation approche à grands pas. Il presse les préparatifs. Peu de temps après son départ, il revient à Bristol. Les historiens en savent peu au sujet de ce voyage. Leur seule source d'information : une lettre écrite par John Day, marchand anglais travaillant comme espion pour l'Espagne. Dans cette lettre, il écrit : « Il prit la mer avec un seul navire, l'équipage l'embrouilla, il essuya des tempêtes et revint au port à court de vivres. » On croit qu'il y a eu une discorde à bord.

L'année suivante, Cabot se prépare à traverser l'Atlantique. En mai 1497, le *Matthew* et son équipage sont fin prêts. Si on ne connaît pas la date exacte du départ de Cabot, on sait par contre qu'il traverse le canal de Bristol, se dirige vers l'Irlande, puis vire au nord et longe les côtes irlandaises. Il s'est possiblement ravitaillé en Irlande ou en Écosse avant de virer à l'ouest et de gagner le large.

■ En 1906, Ernest Board peint *Cabot pant du port de Bristol*. Dans cette toile, il tente de restituer l'ambiance qui se dégageait au moment où Cabot se préparait à quitter l'Angleterre, en 1497.

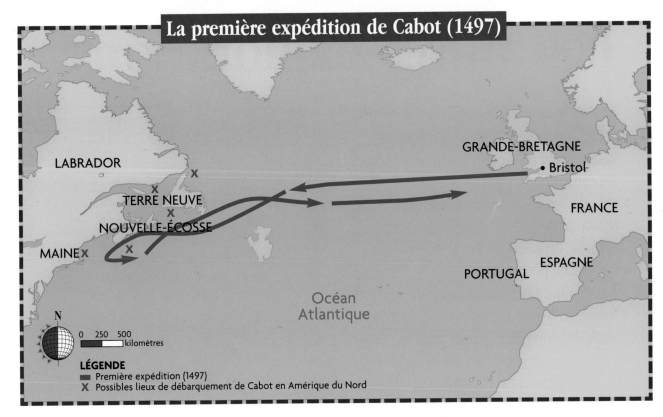

La première expédition de Cabot (1497)

GRANDE-BRETAGNE

LABRADOR

• Bristol

X

TERRE NEUVE

X

FRANCE

NOUVELLE-ÉCOSSE

X

MAINE X

X

ESPAGNE

PORTUGAL

Océan
Atlantique

N

0 250 500

kilomètres

LÉGENDE

Première expédition (1497)

X Possibles lieux de débarquement de Cabot en Amérique du Nord

Le 24 juin 1497, Cabot aperçoit la terre. Il croit avoir atteint l'Extrême-Orient. En vérité, il avait découvert ce qu'on appelle aujourd'hui l'Amérique du Nord.

Ce jour-là, il est le premier Européen depuis les Vikings à fouler le sol nord-américain. Cependant, on ne connaît pas le lieu exact du débarquement. Un grand nombre de personnes croient qu'il touche terre à la pointe nord de la Terre-Neuve actuelle, ou bien dans le sud du Labrador, sur l'autre rive du détroit ; d'autres encore pensent qu'il débarque dans le sud de Terre-Neuve, voire encore plus au sud, en Nouvelle-Écosse ou au Maine. Ce débat est l'objet d'un poème rédigé à l'occasion des fêtes entourant le 400ᵉ anniversaire de l'événement.

Histoire en bref

Selon les lettres patentes remises par le roi, Cabot pouvait appareiller jusqu'à cinq navires. Les marchands de Bristol ne payèrent que pour un seul : le *Matthew*.

Qu'impote s'il mit dabord le pied sur la rive orgeuse de la sauvage Terre-Neuve oudu rigoureux Labrador, ou sur la gréve du Cap-Breton ? Quelque port l'intrépide marin toucha la terre !

Les autres explorations

Cabot ne descend à terre qu'une seule fois. Sur les berges de Terre-Neuve, il plante une croix, l'étendard de l'Angleterre et celui de la ville de Venise, en Italie. Par la suite, il longe le littoral de la Terre-Neuve-et-Labrador actuelle. Au cours de l'exploration, l'équipage pêche dans la zone qu'on appelle aujourd'hui Les Grands Bancs de Terre-Neuve. Le poisson y est si abondant qu'il suffit de plonger un panier pour le pêcher.

Au bout d'un mois, Cabot met le cap sur Bristol. Grâce au **courant** et aux vents favorables, le retour se fait en 15 jours.

Histoire en bref

Au cours de son expédition, Cabot trouve des traces de l'existence des Béothuks, un peuple autochtone de Terre-Neuve, où Cabot débarqua. Au XVe siècle, on comptait de 500 à 1 000 Béothuks sur ce territoire. Ils se sont éteints en 1829.

Une fois à Bristol, Cabot se presse de rencontrer le roi pour lui annoncer qu'il croit avoir atteint l'Extrême-Orient. À titre de récompense, le roi lui remet une somme d'argent et le décore du titre de Grand Amiral. Selon une lettre rapportant la cérémonie, Cabot « [se voit] rendre d'insignes honneurs, ses vêtements sont de soie et les Anglais le poursuivent furieusement ».

■ Cabot met le pied sur les berges de l'actuelle Terre-Neuve-et-Labrador. Croyant avoir atteint l'Asie, il revendique ces terres pour Henri VII. Il revient en Angleterre en août.

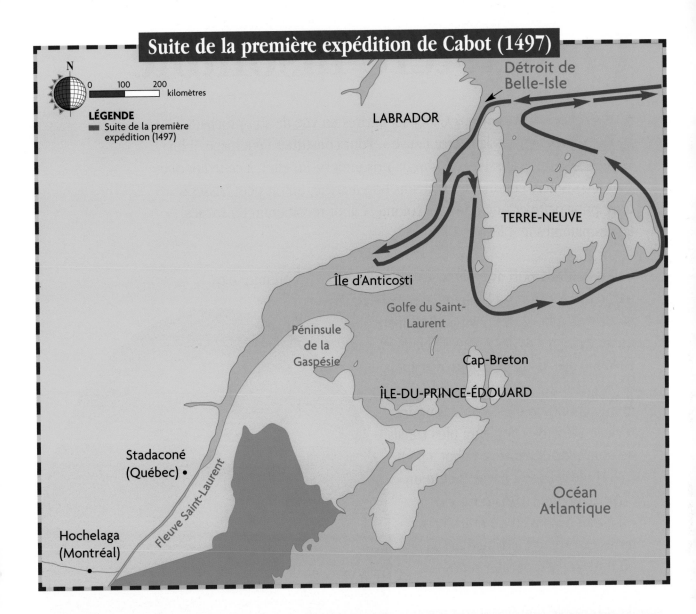

Suite de la première expédition de Cabot (1497)

N

0 100 200 kilomètres

LÉGENDE
■ Suite de la première expédition (1497)

Détroit de Belle-Isle

LABRADOR

TERRE-NEUVE

Île d'Anticosti

Golfe du Saint-Laurent

Péninsule de la Gaspésie

Cap-Breton

ÎLE-DU-PRINCE-ÉDOUARD

Stadaconé (Québec) •

Fleuve Saint-Laurent

Océan Atlantique

Hochelaga (Montréal) •

LA LETTRE DE JOHN DAY

Ce n'est qu'en 1955 que la lettre de John Day à Christophe Colomb a été mise au jour. Dans cette lettre, il fait un portrait détaillé du voyage de Cabot :

« Ils trouvèrent un sentier vers l'intérieur des terres, puis virent les restes d'un feu et les excréments de ce qu'ils croyaient être des animaux de ferme. Ils trouvèrent aussi un bâton d'une demi-verge de longueur, percé aux deux extrémités, taillé et recouvert d'une teinture de **bois-brésil**, et lesdites marques leur firent croire que ces terres étaient habitées. Accompagné de peu d'hommes, il n'osa pas s'avancer plus loin qu'à une distance de tir d'arbalète. Il regagna le navire après avoir puisé de l'eau fraîche. »

Un mystère insoluble

Henri VII accorde à Cabot six navires en vue de son prochain voyage vers la « terre neuve ». Pour constituer l'équipage, il lui promet aussi de nombreux prisonniers. En effet, à cette époque, on les considère comme des matelots bon marché, qu'on peut laisser à terre pour peupler une nouvelle colonie. Cabot reçoit enfin du roi ses lettres patentes le 3 février 1498.

Cabot quitte le port avec seulement cinq navires : un premier payé par le roi, les autres à la charge des marchands de Bristol. À bord des navires : 300 matelots, un an de vivres et des objets à échanger, par exemple des tissus. Peu de temps après le départ, la flotte affronte une tempête. Ayant subi des avaries, l'un des navires revient à Bristol. On n'aura plus jamais de nouvelles des autres. Cabot a peut-être coulé avec son navire. Selon un ouvrage rédigé en 1512, Cabot « n'aurait découvert de nouvelles terres qu'aux tréfonds de l'océan, où il trouva son dernier repos ».

Il est possible que Cabot soit revenu couvert de honte en Angleterre ; la population anglaise, constatant que Cabot était rentré sana avoir atteint son but, aurait refusé de financer ses expéditions suivantes.

■ Certains croient que Cabot a atteint l'est du Groenland. Il aurait longé la côte vers le nord. Mécontents du froid extrême, les matelots auraient forcé Cabot à remettre le cap vers le sud.

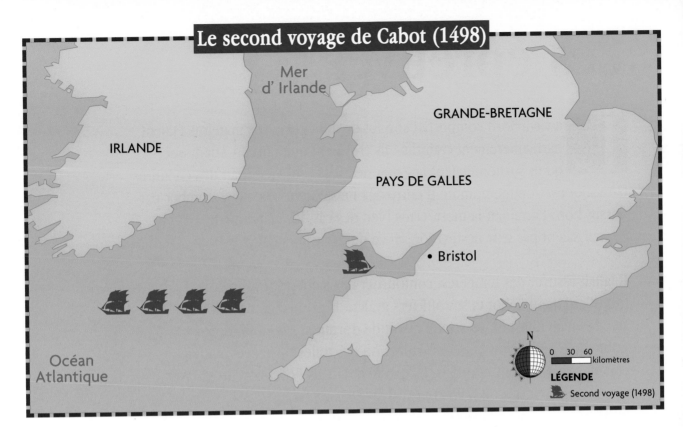

Le second voyage de Cabot (1498)

Mer d' Irlande

GRANDE-BRETAGNE

IRLANDE

PAYS DE GALLES

• Bristol

Océan Atlantique

N

0 30 60
kilomètres

LÉGENDE

Second voyage (1498)

Il est aussi possible que Cabot ait mené à bien son expédition, mais qu'il ait péri aux mains des Autochtones ou d'un autre explorateur. Quelques années plus tard, Gaspar Corte-Real, un explorateur portugais, débarque à Terre-Neuve-et-Labrador, où il rencontre des Autochtones qui possèdent des boucles d'oreilles en argent d'origine vénitienne, ainsi qu'une épée de fabrication italienne. Alonso de Ojeda, explorateur espagnol, a, quant à lui, rencontré un Anglais au Venezuela. Enfin, une carte de l'époque montre cinq étendards accompagnés de la mention « mer découverte par les Anglais ». Or, selon nos connaissances actuelles, seul Cabot aurait pu tenter l'entreprise. Il aurait ainsi atteint l'Amérique, puis poursuivi son expédition. Si c'est le cas, il a parcouru plus de 8 800 kilomètres.

Histoire en bref

Lorsqu'il débarque en terres d'Amérique, en 1501, l'explorateur portugais Gaspar Corte-Real rencontre de nombreux Autochtones. Il en ramène sept au Portugal.

Les épreuves

La vie à bord comportait son lot de difficultés. Les matelots étaient particulièrement craintifs : ils croyaient que l'océan Atlantique, qu'ils surnommaient la « mer des Ténèbres », abritait des créatures fantastiques. Comme nombre d'entre eux ne savaient pas nager, tomber par-dessus bord entraînait la mort. Dans bien des cas, les matelots ne connaissaient pas leur destination, ni ce qui les y attendait.

Il fallait essuyer des tempêtes, contourner des icebergs, traverser le brouillard. Seul Cabot et ses officiers avaient la chance de dormir au sec. Les matelots, eux, se contentaient de dormir sur le pont, avec pour seule protection des couvertures ou des toiles. Leurs vêtements étaient constamment humides. Ils n'avaient jamais l'occasion de se laver.

Dans un navire qui prenait l'eau, la nourriture pourrissait rapidement. Certains commerçants vendaient même des aliments déjà gâtés au moment du chargement. C'était le paradis des vers, des **charançons** et des blattes, entre autres insectes. Les barils d'eau fourmillaient d'asticots.

■ Des cales du navire s'échappait une odeur insoutenable d'excréments de rats, de moisissure et de crasse. Des savants de l'époque croyaient qu'une telle odeur pouvait provoquer une explosion accompagnée d'une « boule de feu ».

Histoire en bref

Cabot se servait des *Rôles d'Oléron*, un code maritime, pour diriger l'équipage. Écrit vers 1266, cet ouvrage permettait à Cabot de savoir comment discipliner les matelots et régler les différends à bord.

Dans ces conditions, même les pains les plus durs moisissaient. C'était pourtant les seuls aliments et boissons à bord ; les matelots devaient s'en contenter.

Le scorbut, maladie causée par une insuffisance de vitamine C, décimait l'équipage. Des matelots avaient des vers intestinaux. Leurs blessures s'infectaient et se terminaient en **gangrène**. C'est sans compter les autres maladies propagées par les rats.

Les membres d'équipage étaient cruellement punis de leurs fautes. Les matelots coupables de certains délits, comme le vol, étaient attachés au mât pour recevoir le fouet. D'autres subissaient le « supplice de la grande cale » : ils étaient attachés, lancés à l'eau, puis tirés sous le navire. La coquille des balanes leur lacérait le corps. Peu en réchappaient.

■ Grâce à leurs dents très dures, les rats sont capables de percer les contenants de bois. Certaines de ces bêtes saccagent les provisions, ou transportent des puces qui propagent certaines maladies comme la peste ou le typhus.

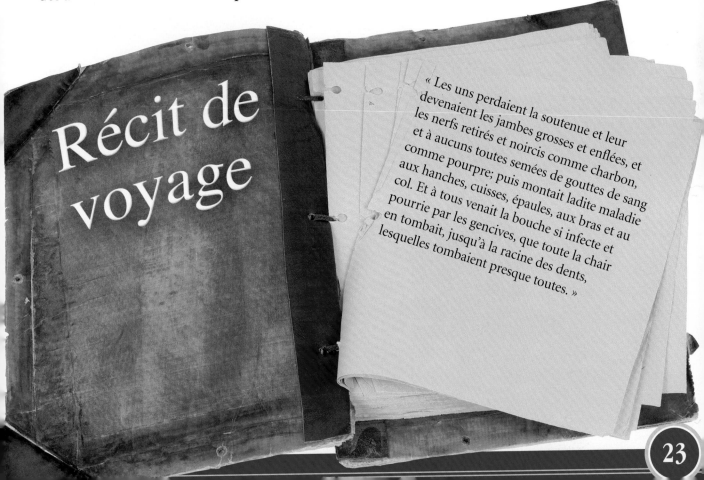

Récit de voyage

« Les uns perdaient la soutenue et leur devenaient les jambes grosses et enflées, et les nerfs retirés et noircis comme charbon, et à aucuns toutes semées de gouttes de sang comme pourpre; puis montait ladite maladie aux hanches, cuisses, épaules, aux bras et au col. Et à tous venait la bouche si infecte et pourrie par les gencives, que toute la chair en tombait, jusqu'à la racine des dents, lesquelles tombaient presque toutes. »

L'héritage

La découverte de Cabot est importante à bien des égards. Entre autres, il trouvé une nouvelle source de poissons pour l'Angleterre. Quelques années plus tard, des flottes de pêche se rendaient régulièrement dans les Grands Bancs de Terre-Neuve. Cette pêche continua pendant des centaines d'années. La morue, une fois séchée et salée à Terre-Neuve-et-Labrador, était transportée à Bristol, puis distribuée en Europe. La ville devint rapidement le port d'entrée de presque tous les produits en provenance d'Amérique du Nord. Enfin, d'autres explorateurs, par exemple Ferdinando Gorges et Martin Frobisher, firent de Bristol leur port d'attache.

■ La tour Cabot offre une vue imprenable de la ville de St John's et de son port. On y trouve un centre d'interprétation et des objets façonnés. C'est le point de départ d'un sentier de randonnée pédestre.

Jusque-là, les royaumes d'Espagne et du Portugal finançaient la plupart des expéditions. En conséquence, ils revendiquèrent une bonne partie des territoires découverts. Grâce à Cabot, l'Angleterre avait fait de même. Peu de temps après, elle établit des colonies dans le Canada et les États-Unis actuels. Au fil du temps, elle forma l'un des plus grands **empires** qui aient jamais existé.

Histoire en bref

Au moment où le Canada-Uni, le Nouveau-Brunswick et la Nouvelle-Écosse sont unifiés en dominion, en 1867, on suggéra un grand nombre de noms de pays, notamment Cabotia, d'après Cabot. On s'entendit sur Canada, du terme iroquois *Kanata* (village).

En 1897, pour célébrer le 400e anniversaire du voyage de Cabot, la tour Cabot a été érigée sur la colline Signal, près de St. John's, **Terre-Neuve**, dont elle domine le port. Une plaque commémorative a été dévoilée à l'hôtel de ville d'Halifax (Nouvelle-Écosse). À l'occasion du 500e anniversaire, en 1997, on a construit une réplique du Matthew, avec laquelle on a reproduit la traversée entre Bristol et Terre-Neuve.

Le nom Terre-Neuve renvoie à la découverte, par Cabot, de la « terre neuve » (en anglais New Founde Lande). C'est par conséquent un des plus anciens noms de lieu au Canada. La capitale de Terre-Neuve, St. John's (Saint-Jean), est, quant à elle, nommée d'après Jean le Baptiste parce que Cabot mit pied à terre le 24 juin, soit le jour de la fête de la Saint-Jean-Baptiste.

Beaucoup d'autres endroits au Canada sont nommés d'après Jean Cabot. Le détroit de Cabot, le bras de mer entre Terre-Neuve et l'île du Cap-Breton, en est un; la piste Cabot, qui passe à travers l'île du Cap-Breton, en est un autre. Il y aussi le rocher de Cabot, à Terre-Neuve, le rocher sur lequel l'explorateur grimpa pour jeter un coup d'œil sur l'intérieur des terres. Enfin, on trouve même un canton de Cabot au Québec.

■ Au parc provincial de la plage Cabot, une plaque souligne le lieu du débarquement initial de Jean Cabot.

Les grands explorateurs

Beaucoup d'explorateurs ont parcouru le Canada à la recherche de richesses et de terres à revendiquer au nom des commerçants européens.

Jean Cabot

Bien que Jean Cabot soit né en Italie, il a été explorateur et navigateur au nom de l'Angleterre. Cabot a tenté de trouver le **passage du Nord-Ouest**, mais a malheureusement échoué dans sa tentative. Cabot a été le premier à revendiquer les terres du Canada pour la Couronne britannique.

← Cabot 1497

Jacques Cartier

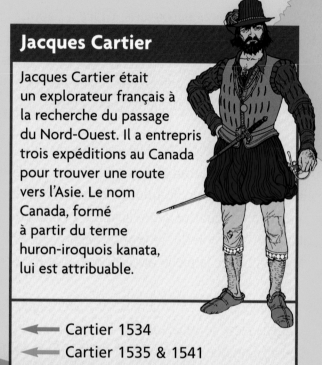

Jacques Cartier était un explorateur français à la recherche du passage du Nord-Ouest. Il a entrepris trois expéditions au Canada pour trouver une route vers l'Asie. Le nom Canada, formé à partir du terme huron-iroquois kanata, lui est attribuable.

← Cartier 1534
← Cartier 1535 & 1541

Samuel de Champlain

Samuel de Champlain, un explorateur et navigateur français, a cartographié une grande partie du nord-est de l'Amérique du Nord. Il a également mis sur pied une colonie en Nouvelle-France (le Québec actuel). Champlain a joué un rôle important dans l'administration de cette colonie.

← Champlain 1603
← Champlain 1615

Henry Hudson

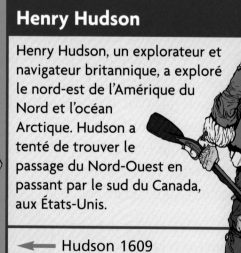

Henry Hudson, un explorateur et navigateur britannique, a exploré le nord-est de l'Amérique du Nord et l'océan Arctique. Hudson a tenté de trouver le passage du Nord-Ouest en passant par le sud du Canada, aux États-Unis.

← Hudson 1609
← Hudson 1610

Baie
d'Hudson

Baie
James

CANADA

Détroit de Belle-Isle

LABRADOR

TERRE-NEUVE

Île d'Anticosti

Golfe du
Saint-Laurent

Péninsule de
la Gaspésie

CAP BRETON

ÎLE-DU-
PRINCE-
ÉDOUARD

NOUVELLE-
ÉCOSSE

Océan
Atlantique

Stadaconé
(Québec)

Lac Nipissing

Hochelaga
(Montréal)

Fleuve Saint-Laurent

Baie Georgienne

Lac Ontario

N

0   115   230
                                kilomètres

La chronologie

985 Les Vikings sont les premiers Européens à atteindre l'Amérique du Nord.

1266 Les Rôles d'Oléron sont écrits.

1450 Cabot naît à Gênes ou Gaète (Italie).

1461 La famille de Cabot déménage à Venise (Italie).

Début des années 1480s Cabot marie une femme dénommée Mattea.

1490 Cabot déménage avec sa famille à Valence, en Espagne. Il demande aux rois d'Espagne et du Portugal de financer ses explorations. Les deux refusent.

1492 Christophe Colomb débarque dans les Antilles.

1494 Cabot déménage avec sa famille à Bristol, en Grande- Bretagne. Il y demande le soutien financier des marchands de Bristol. Ces derniers sont emballés par son projet de traversée vers l'Extrême-Orient.

1496 Cabot demande au roi Henri VII d'Angleterre d'appuyer son expédition. Le roi lui accorde des lettres patentes. Cabot tente de se rendre en Extrême-Orient, mais revient peu de temps après.

1497 Cabot quitte de nouveau Bristol. Il aperçoit des terres le 24 juin, explore la région pendant un mois environ, puis revient à Bristol le 6 août 1497.

1498 Cabot reçoit du roi l'autorisation d'entreprendre un autre voyage. Il appareille avec cinq navires. Un seul revient au port. Le sort des autres est inconnu.

1500 L'explorateur portugais Gaspar Corte-Real explore l'actuelle Terre-Neuve-et-Labrador.

1829 Le dernier des Béothuks s'éteint.

1897 Les Canadiens et Canadiennes célèbrent le 400e anniversaire de l'arrivée de Cabot en Amérique du Nord.

1955 Des historiens découvrent, dans les archives nationales d'Espagne, la lettre de John Day à Christophe Colomb.

1991 Le gouvernement du Canada interdit la pêche à la morue dans les Grands Bancs.

1997 Les Canadiens et Canadiennes célèbrent le 500e anniversaire de l'arrivée de Cabot en Amérique du Nord.

Crée un journal de bord

Les explorateurs notaient leurs observations dans ce qu'on appelle un journal de bord. Ils y inscrivaient une foule de détails : lectures de compas, latitude et vitesse du navire, remarques sur le temps, conditions de navigation et autres. Ils y indiquaient aussi la couleur de l'eau et des points de repère.

Rédige ton propre journal de bord. Choisis un grand endroit à explorer, un parc par exemple. Note tes observations tout en te promenant.

Prends en note :

ton rythme de marche ;

dans quelle direction tu marches ;

les arbres, les plantes et les objets aux alentours ;

les moments et les endroits où tu as changé de direction.

Une fois que tu as terminé, retourne avec un ami à l'endroit où tu as commencé ton exploration et donne-lui ton journal de bord. Ton ami est-il capable de suivre tes indications ? Arrive-t-il au même endroit ?

Questionnaire

1. Quels sont les premiers Européens à débarquer en Amérique du Nord ? S'y trouvent-t-ils encore à l'arrivée de Cabot ?

2. Pourquoi les épices étaient-elles si importantes pour les Européens ? D'où provenaient-elles ?

3. Dans quelle ville portuaire anglaise Cabot déménagea-t-il ?

4. En quelle année le roi Henri VII donna-t-il à Cabot ses premières lettres patentes ?

5. Quel était le nom du navire de Cabot ? Quel type de navire était-ce ?

6. À quoi un astrolabe servait-il ?

7. À quelle date Cabot aperçoit-il la terre au cours de son voyage de 1497 ? Connaît-on le lieu exact de son débarquement ?

8. Le roi Henri VII était-il satisfait de la découverte de Cabot ? De quel titre Cabot est-il décoré à son retour ?

9. Quel fut le sort de Cabot au cours de son voyage de 1498 ?

10. À quel endroit Cabot grimpa-t-il sur un rocher pour jeter un coup d'œil sur l'intérieur des terres ?

Réponses

1. Les Vikings ; non.
2. Les épices masquaient le goût de la nourriture avariée ; l'Extrême-Orient.
3. Bristol
4. 1496
5. Le Matthew ; une caravelle.
6. Il servait à déterminer la latitude du navire.
7. Le 24 juin ; non.
8. Oui ; Grand Amiral.
9. Il disparut.
10. Terre-Neuve.

Les sites web

Exploration et colonisation
http://www.heritage.nf.ca/patrimoine/exploration/default.html

Les Passages : Récits d'aventures véritables pour jeunes explorateurs
www.collectionscanada.gc.ca/explorers/kids/index-f.html

Musée national de la Marine
http://www.nmm.ac.uk/languages/francais/

Les livres

Larkin, Tanya. *John Cabot, Famous Explorers*. New York, NY : The Rosen Publishing Group, 2001.

Shields, Charles J. *John Cabot and the Rediscovery of North America*. Langhorne, PA : Chelsea House Publishers, 2002.

Glossaire

un astrolabe (n.m.) : ancien instrument servant à déterminer la latitude en fonction de la hauteur des astres

le bois-brésil (n.m.) : essence d'arbre qui produit une teinture rouge

un charançon (n.m.) : insecte de l'ordre des coléoptères

une colonie (n.f.) : groupe de personnes qui se sont établies dans un nouveau territoire

un compas (n.m.) : outil servant à s'orienter grâce à une aiguille aimantée qui indique le nord magnétique

un continent (n.m.) : grande étendue de terre

un courant (n.m.) : masse d'eau qui se déplace dans une direction donnée

un empire (n.m.) : ensemble des territoires gouvernés par une seule et même chef

la gangrène (n.f.) : destruction et mort des tissus de l'organisme, généralement à la suite d'une infection

la latitude (n.f.) : la distance (au nord ou au sud) d'un point par rapport à l'équateur

des lettres patentes (n.f.pl.) : écrit provenant du roi, qui autorisait une personne à réaliser certaines actions

un maître d'équipage (n.m.) : membre d'équipage responsable de l'équipement, ainsi que des tâches des matelots

un marchand (n.m.) : personne qui, achée et vend des marchandises

un marin (n.m.) : personne qui navigue sur la mer

un mât (n.m.) : longues pièces de bois circulaires qui servent à porter les voiles

la navigation (n.f.) : calcul de la position d'un navire et établissement de sa direction

orienter (v.) : disposer les voiles de manière à tirer le meilleur parti du vent

le passage du Nord-Ouest (n.m.) : voie d'eau entre les océans Atlantique et Pacifique, qui passe par les îles canadiennes de l'Arctique et près de la côte nord de l'Alaska

la poupe (n.f.) : arrière d'un navire

la proue (n.f.) : l'avant d'un navire

Index